꺼리

꺼리

발　행 | 2024년 08월 12일
저　자 | 남자의 선물
펴낸이 | 한건희
펴낸곳 | 주식회사 부크크
출판사등록 | 2014.07.15.(제2014-16호)
주　소 | 서울특별시 금천구 가산디지털1로 119 SK트윈타워 A동 305호
전　화 | 1670-8316
이메일 | info@bookk.co.kr

ISBN | 979-11-419-0047-2
www.bookk.co.kr
ⓒ 남자의 선물 2024

꺼 리

머 리 말

세대를 넘어서 기성세대와 MZ세대의 문화적 교감

현대 사회에서 세대 간의 문화적 차이는 끊임없이 주목받고 있습니다. 기성세대는 그들이 살아온 방식, 경험, 기술적 능력에 대해 이야기할 점이 많습니다. 반면, MZ세대는 기술과 정보에 둘러싸여 자라며 현대의 문화적 변화를 주도하고 있습니다. 이 두 세대의 상호작용은 종종 심오한 통찰을 제공하며, 서로를 이해하기 어려운 면도 있습니다.

기성세대는 전화 부스나 카세트 테이프와 같은 과거 기술에 익숙하며, 그들의 기술적 감각과 생활 방식은 시대적 차이를 넘어 영감을 줍니다. 한편, MZ세대는 스마트폰과 소셜 미디어를 통해 현대 사회를 지배하며, 새로운 혁신과 창의적인 접근으로 세상을 변화시키고 있습니다.

그러나 이들 사이에 문화적, 기술적 격차가 종종 발생합니다. 기성세대는 과거 기술의 장점을 강조하는 경향이 있으며, MZ세대는 혁신과 변화를 선호합니다. 이는 종종 서로를 이해하기 어렵게 만들지만, 이러한 차이가 문화적 다양성과 새로운 아이디어를 창출하는 데 기여할 수 있습니다.

세대 간의 교감은 서로의 경험을 공유하고 이해하는 데 중요한 역할을 합니다. 기술과 문화의 발전은 끊임없이 진행되며, 각 세대는 자신만의 독특한 가치를 제공합니다. 따라서 우리는 세대 간의 이러한 상호작용을 통해 더 나은 이해와 협력의 기회를 가질 수 있습니다.

세대 간의 문화적 교감은 때로는 도전적일 수 있지만, 그 과정에서도 중요한 교훈을 얻을 수 있습니다. 기성세대는 과거의 경험을 통해 안정성과 전통의 중요성을 강조하고, MZ세대는 변화와 혁신을 통해 새로운 가능성을 창출하려 합니다. 이러한 접

근의 차이는 종종 오해나 갈등을 초래할 수 있지만, 서로가 함께 성장하고 배울 수 있는 기회를 제공합니다.

기술의 발전과 문화적 변화는 두 세대 간의 역량과 통찰력을 보강하는 데 기여합니다. 예를 들어, 기성세대는 전화 부스를 활용한 신속한 소통 방법을 제안할 수 있고, MZ세대는 스마트폰을 이용한 신속한 정보 공유와 협업의 중요성을 강조할 수 있습니다. 이러한 다양성과 상호작용은 현대 사회에서 필수적인 요소로 자리 잡고 있으며, 세대 간의 이해와 협력을 강화하는 데 중요한 역할을 합니다.

따라서 우리는 세대 간의 문화적, 기술적 간극을 이해하고, 이를 통해 함께 성장하고 발전할 방법을 모색해야 합니다. 기술과 문화의 다양성은 우리가 살아가는 세상을 더욱 풍부하고 창의적으로 만드는 열쇠이며, 이를 통해 새로운 시대의 가능성을 탐색할 수 있습니다.

세대 간의 문화적 교감은 마치 시간을 넘나드는 모험 같습니다. 기성세대는 과거의 보물 같은 경험을 가져와서 MZ세대와 함께 새로운 모험을 시작할 준비가 되어 있고, MZ세대는 빠르게 변화하는 현대 사회에서 함께 성장하며 새로운 지혜를 발견하고 있습니다. 이 두 세대가 만날 때마다 새로운 역사가 쓰여지는 것 같습니다. 그래서 우리는 서로의 강점을 합쳐서 더 나은 미래를 만들어 나갈 수 있습니다.

작가 소개

안녕하세요! 저는 40대 중반의 두 명의 초등학생 아빠이자 기성세대와 MZ세대를 모두 이해하려고 노력하는 열혈 작가입니다. 세상에는 두 종류의 사람이 있죠. 하나는 아이들이 제 역할을 하길 바라며 애쓰는 부모, 또 하나는 그런 부모를 바라보며 웃는 아이들. 저는 당연히 전자입니다. 이 글을 쓰는 동안에도 아이들 때문에 커피를 세 번이나 쏟았거든요.

아이들과 함께하는 매일은 정말 작은 전쟁터 같아요. 숙제와의 싸움, 식사 시간의 협상, 그리고 잠자리 전투까지. 하지만 그 모든 순간이 소중한 추억으로 쌓여가고 있죠. 물론, 그 추억 중 일부는 커피 얼룩이 남아 있는 책 위에 새겨져 있지만요. 제 두 아이는 제 인생의 교과서이자 최고의 선생님입니다. 그들은 항상 새로운 시각과 아이디어를 저에게

줍니다. 예를 들어, 왜 아침 7시에 "왜 하늘은 파란 가요?"라는 질문을 던지는지 알게 되었죠.

이번 책은 기성세대의 생활을 담고 있습니다. 이를 통해 기성세대는 지난 날의 추억을 떠올리고, MZ 세대는 부모님 세대의 삶을 이해할 수 있기를 바랍니다. 우리 부모님이 겪었던 그 시절의 이야기들, 흑백 텔레비전, 공중전화, 종이로 된 지도, 그리고 아날로그 시계. 이런 것들이 지금은 옛날 이야기가 되었지만, 그때는 일상이었죠.

저는 글을 통해 세대 간의 차이를 좁히고, 서로 다른 세대가 함께 소통하며 웃을 수 있는 세상을 꿈꿉니다. 제 글이 여러분의 일상에 작은 위로와 큰 웃음을 줄 수 있기를 바랍니다. 함께 웃고, 함께 성장하길 기대하며, 오늘도 키보드를 두드리고 있습니다.

물론, 커피를 쏟지 않기를 바라며.

추 천 글

모든 것이 빠르게 변하고 다양한 문화가 공존하는 시대를 우리는 살아가고 있다. 각각의 어떤 문화라도 개인이 수용하고자만 한다면 개개인이 얼마든지 자신의 소유물처럼 풍요로운 문화를 향유할 수가 있다. 또한 각각의 것들 중 어느 것이 더 낫다, 못하다 할 수 없다. 매 시점에서 한 시대를 풍미하던 것들은 저마다의 가치를 지닌다. 지금은 이미 지나간 낡은 것처럼 보여도 그것이 한 때는 당대의 사람들이 기꺼이 누리던 것이었다. 또한 새롭고 복잡해서 수용하기 어렵다는 이유로, 그 문화가 진정성이 결여되었다거나 가볍다고 폄하할 수는 없다.

동서고금의 어느 곳, 어느 때라도, 그 시대를 주도하는 부류는 반드시 존재했었고, 지금 이 순간도 마찬가지이다. 그렇다면 이 시대를 주도하는 멤버는 누구일까. 현대를 주도하는 부류 중에 우리는 MZ세대를 가장 먼저 떠올릴 것이다.

MZ세대란 밀레니얼(M) 세대와 Z(스마트폰 보급 이후의) 세대를 통틀어 지칭하는 대한민국의 신조어다. 따라서 MZ를 하나로 묶어 기성세대와 대비하여 사용하고 있다.

MZ세대는 디지털 환경에 친숙할 뿐 아니라, 개인의 취향과 사생활을 보다 중요하게 여기는 특성을 지녔다. 따라서 상하 관계나 수직적 문화보다는 수평적 문화를 선호한다. 또한 MZ세대는 각종 스마트 디바이스를 능숙하게 활용하고, 빠르게 정보를 처리하며, 점점 더 편리함과 간편함을 더욱 추구한다.

그런 MZ세대에게 있어서 기성세대의 문화는 다소 낯설고 생소하게 여겨질 수 있다. 때로는 그것을 진부하다고 비웃기도 하지만 그러면서도 정감 있게 재해석하여 그들만의 새로운 콘텐츠로 만들기도 한다. 그들은 무의식중에 기성세대와 그렇게 소통하고자 하는 것이다. MZ세대의 근본이 되는 부모의

세대로부터 흐르는 유전자가 그들에게도 그대로 남아있기 때문이다. 삶의 방식과 해석에서의 약간의 차이가 있을 뿐이기에, MZ세대가 기성세대와 소통하는 것이 그리 어려운 일이 아니다. 이제는 MZ세대 당사자들도 그렇게 생각하고 있는 경향이 크다.

어쩌면 오히려 기성세대가 MZ세대에게 다가가기를 두려워하며 진정한 소통을 회피하고자 했던 것인지도 모른다. 굳이 용어를 달리해서 구분을 하려는 것부터가 더 큰 문화적, 역사적 시각에서는 무의미한 일일 수 있는데도 말이다. 서로의 것을 이해하고 느끼고자 한다면 서로 간의 소통이 크게 어렵지 않다.

이 책의 저자는 바로 이러한 점을 꿰뚫어 보았다. 그리고는 역사의 뒤안길로 사라져가는 것들, 조금은 투박하지만 따뜻하고 아날로그적인 감성이 가득한 것들을 차곡차곡 꺼내어 MZ세대의 친구들에게 들려주고자 했다. 그들과의 진정한 소통을 도모하고자 한 것이다. 그러한 아이디어와 발상이 빛을 발하여 이토록 흥미진진한 책이 만들어졌다.

새로운 것을 추구하는 MZ세대에게 있어서는, 자신들이 접하지 못했던 것은 모두 새로운 것이라 할 수 있다. 기성세대의 낡은 유물 같아 보이는 것들도 역설적으로 MZ세대에게는 신선하게 다가올 여지가 충분하다. 다만 옛것을 스스로 촌스럽고 진부한 것으로 여기며 MZ세대에게 알려주지 않아서 그들이 모르는 것일 뿐이다. 누군가 그 시절의 낭만과 아름다움이 묻어나는 문화적 요소들을 당당하게 펼쳐 보인다면 MZ세대는 얼마든지 수용할 것이고, 나아가 창의적 아이디어를 보탤 것이다. 그리고는 마침내 서로의 문화가 조화롭게 절충하고 더욱 멋진 것으로 탄생 될 것이다.

이 책의 목차만 보아도, 기성세대에게는 추억을, MZ세대에게는 호기심을 자아낼 만한 것들이 가득함을 알 수 있다. 굳이 상당히 나이가 많지 않더라도 요즘엔 드라마나 영화를 통해 과거의 문화와 삶을 들여다 볼 수 있다. 그러니 옛 것을 상당히 알고 있다고 해서 무조건 노땅 취급을 해서는 안 된다. 마찬가지로, 비교적 젊은 MZ세대라 해도 예컨대 문화에 관심이 크고 직업이 문화평론가라면 옛 시대를 무심하게 살아온 사람보다 더 많이 알고 있을 수 있다. 그러한 것을 모른 채 기성세대가 자신이 알고 있는 지식이 전부 옳다며 '니들이 뭘 알아!' 하는 식의 허풍 가득한 위세를 떤다면, MZ세대와 제대로 소통하기 어렵다. 또한 MZ세대가 어른들의 지혜를 꼰대 기질의 발상이라며 무조건 터부시한다면 그 또한 소통의 크나큰 장애물이 될 수 있다.

추억을 더듬어 보려는 기성세대에게도, 그리고 호기심이 발동하여 눈길을 주려는 MZ세대에게도, 이 책의 전개 방식은 담백하고 간결해서 읽는 것에 대한 부담을 주지 않는다. 또한 생각의 여백을 남겨 주는 스타일을 취하고 있어서 기성세대와 MZ세대 간의 열린 소통을 가능하게 한다. 따라서 이 책은 기성세대와 MZ세대 모두에게 추천할 만한 멋지고 흥미로운 책이다.

각자의 개성을 서로 존중하면서도 소통과 융합을 통한 새로운 문화의 창의적 발상이 기대되는 이 책을 모두에게 추천하고자 한다.

- 응용언어학 박사 김나영 -

목 차

전화번호 암기왕

스마트폰 없이 전화번호를
외울 수 있는 천재적 기억력의 소유자!

MZ – 수많은 숫자를 머릿속에 저장해 두는
　　그 비법, 요즘 세대에겐 상상도 못할
　　능력이에요.
　　친구들의 전화번호를 다 외우고 있던
　　시절, 아날로그의 낭만을
　　떠올리게 하네요

네비게이션 필요 없어

지도 한 장만 있으면 어디든
갈 수 있는 살아있는 GPS!

MZ   네비게이션 없이도 길을 칙칙 찾는
      그 능력, 정말 존경스러워요.
      지하철 노선도도 다 외우고 있다는
      소문이!

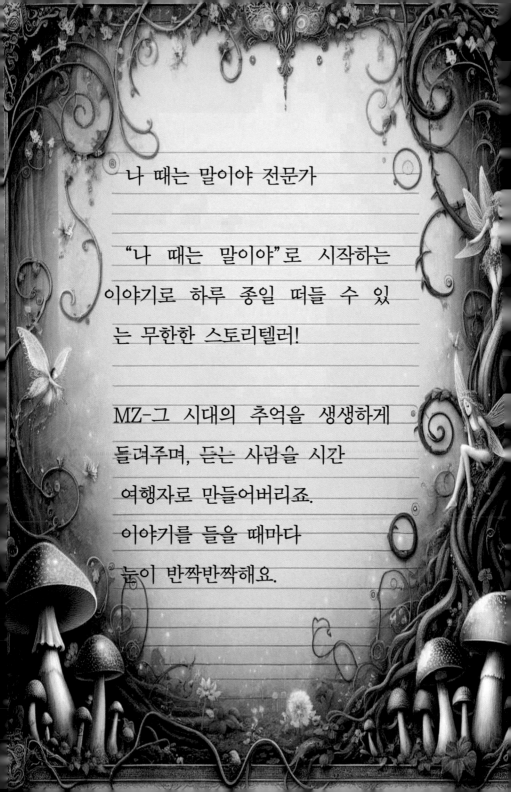

나 때는 말이야 전문가

"나 때는 말이야"로 시작하는
이야기로 하루 종일 떠들 수 있
는 무한한 스토리텔러!

MZ-그 시대의 추억을 생생하게
들려주며, 듣는 사람을 시간
여행자로 만들어버리죠.
이야기를 들을 때마다
눈이 반짝반짝해요.

고장난 물건 해결사

고장난 전자제품을
스스로
고칠 수 있는
DIY 마스터!

MZ - 고장난 물건
앞에서 당황하지 않고,
뚝딱뚝딱 고치는
모습을 보면,
마치 마법사 같아요.
전자제품 고치는
비법 좀 전수 해주세요!

빠른 계산기

암산으로 잔돈까지
정확히 계산할 수 있는
마트의 숨은 능력자!

MZ - 계산대에서 헷갈리지 않고
정확하게 계산하는 그 능력, 정말
대단해요.계산기를 들고 다닐 필요가
없으니, 짐도 줄고 좋겠어요.

주변 사람 정보통

이웃집 누구의 딸이
누구와 결혼했는지
다 꿰고 있는 정보의 달인!

MZ - 마을 사람들의
소식통으로, 언제나
최신 정보를 제공해주는
그 모습, 정말 멋져요.
그 비결이 뭔지 궁금해요.

동네 맛집 평론가

인터넷 리뷰 없이도 맛집을
찾아내는 미식가!

MZ - 맛집을 찾는 능력이
탁월한 분들, 어떻게 그렇게
맛있는 집을 잘 찾으시는지
정말 부러워요.
맛집 리스트 좀
공유해주세요!

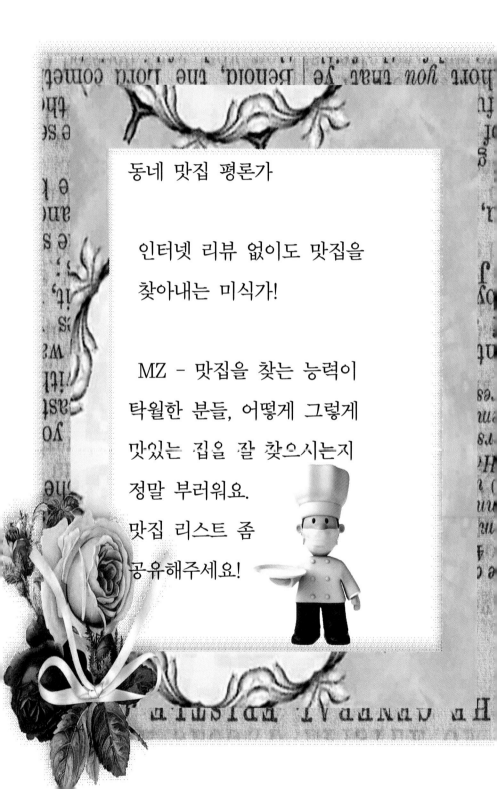

고전 게임 마스터

최신 게임은 몰라도 오락실에서
Pac-Man으로 신기록을 세웠던
전설의 고수!

MZ   요즘 게임은 잘 모르지만,
오락실 게임 하나만큼은 최고!
한 수 가르쳐주실래요?

편지의 낭만

이메일 대신 손편지를 주고받으며
감성을 전달했던 로맨티스트!

MZ - 손글씨의 아름다움과 편지를
주고받는 그 설렘, 정말 멋져요. 저도
손편지 써보고 싶어요.

연애 상담사

다양한 연애 경험담으로
사랑의 문제를 해결해주는
연애 전문가!

MZ - 사랑의 고민을 듣고
해결책을 제시 해주는 그 능력,
정말 대단해요.
사랑의 비법 좀 알려주세요!

종이 신문 마스터

종이 신문을 접었다 펴도 한 번에 잘 펼치는 능력!

MZ - 디지털 스크롤 대신 진짜 페이지 넘기기의 달인! 종이 신문에서 느낄 수 있는 손맛, 정말 부러워요.

책임감

'우리 때는 말이야...' 하며
언제나 책임을 다하는 모습.
밤새 일해도 끄떡없는 전설!

MZ – 그 강한 책임감과 성실함,
정말 존경스러워요.

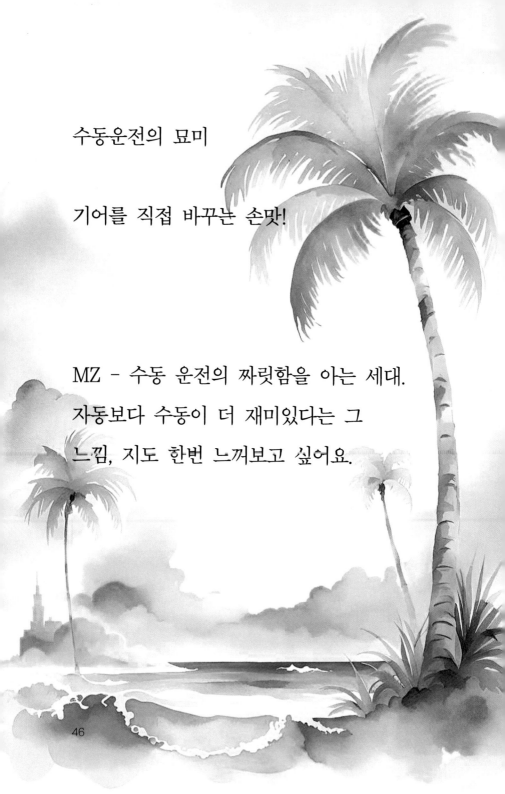

수동운전의 묘미

기어를 직접 바꾸는 손맛!

MZ - 수동 운전의 짜릿함을 아는 세대.
자동보다 수동이 더 재미있다는 그
느낌, 지도 한번 느껴보고 싶어요.

시간 엄수

'약속은 생명이다!'
시간을 철저히 지키는 놀라운 능력.

MZ - 약속 시간을 어기는 법이
없으니, 언제나 믿음직스러워요.

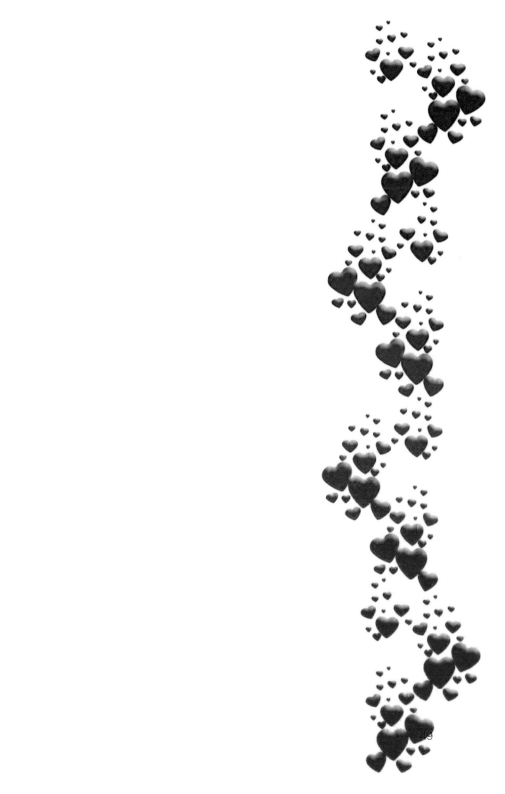

49

침묵의 미덕

스마트폰 없이도 하루를 보내던
평화로운 시간.

MZ - 조용히 책을 읽고,
자연을 즐기는 그 여유로움,
정말 부러워요.

교통수단 전문가

버스, 지하철, 택시까지 모든
교통수단을 섭렵한 네비게이션 같은
감각.

MZ - 어디로 가든 교통수단을 척척
이용하는 모습, 정말 대단해요.

즉석 요리 장인

레시피 없이도 맛있는 음식을 뚝딱
만드는 비법의 소유자.

MZ - 냉장고에 있는 재료로 멋진
　　요리를 민드는 그 솜씨,
　　정말 존경스러워요.
　　저도 비법 좀 배워야겠어요.

오프라인 대화의 힘

대면으로 대화하는 기술! 이모티콘
없이도 감정을 전할 수 있는 스킬.

MZ - 직접 만나서 이야기를 나누는
그 따뜻함, 정말 좋아요.

필름 카메라 매니아

필름 카메라로 찍은 사진 한 장에
담긴 특별한 추억.
'인화'의 감동을 아는 세대.

MZ - 필름 카메라의 그 느낌,
정말 부러워요.

유머 센스

고전 개그와 유머의 진수를 보여주는
센스쟁이들. "아재개그"라 불리지만,
그 안에 담긴 깊은 철학.

MZ - 아재개그의 매력,
    정말 좋아요.

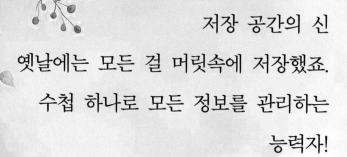

저장 공간의 신

옛날에는 모든 걸 머릿속에 저장했죠.

수첩 하나로 모든 정보를 관리하는

능력자!

MZ - 요즘 스마트폰 없이도 정보를

관리하는 모습, 정말 대단해요.

커피잔에 담긴 여유

커피숍에서 하루 종일 책을 읽고
대화하던 여유로운 시간.

MZ – 커피 한 잔과 함께하는 그 여유,
정말 부러워요.

낙서의 예술가

공책에 낙서하면서
상상력을 키우던 시절.
스마트폰이 없던 때의
창의력 발휘!

MZ - 낙서로 창의력을 키우던 그 시절,
정말 멋져요.

근검절약의 달인

소박하게 살면서도 풍요롭게 느끼는
삶의 기술.
'작은 것에 감사하기'의 본보기.

MZ - 절약하며 행복을 찾는 그 모
습, 정말 본받고 싶어요.

아날로그 감성

LP판에서 나오는 따뜻한 음악 소리.

디지털에서 느낄 수 없는

아날로그 감성.

MZ - LP의 그 따뜻한 소리,

　　정말 좋아요.

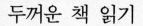

두꺼운 책 읽기

디지털과 달리 냄새나는
종이책에 깊이 빠져들 수 있는 능력.

MZ - 책장 넘기는 소리가 주는
만족감! 종이책의 그 느낌,
정말 좋아요.

주말의 즐거움

디지털 없이도 주말을 즐기는 비결.
야외 활동, 가족 시간을 즐기는 방법
을 알고 있어요.

MZ - 주말을 가족과 함께 보내는 그
소중한 시간, 정밀 부리워요.

기억력의 힘

수천 가지의 이야기를
외우며 풍부한 지식을 가진 세대.
경험을 통해 배운 것을 잊지 않는
기억력!

MZ - 그 뛰어난 기억력,
정말 존경스러워요.

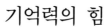

고정 전화기의 마스터

가정에서는 항상 필요한
고정 전화기를 다루는 능력.
매번의 전화기 번호를 외울 수 있는
기적적인 두뇌!

MZ - 고정 전화기의 그 손맛,
　　　정말 좋아요.

신속한 장보기

마트에서 장보기를 하는데
소요되는 시간을
최소화하는 비결.
목록을 빠르게 완료하는 능력!

MZ - 신속하게 장 보는 모습,
정말 대단해요.

자기 주도적 학습

인터넷 없이도
책과 경험을 통해

스스로 배우는 능력.
자기 주도적으로
지식을 쌓는 비법!

MZ - 스스로 학습하는 그 능력,
정말 존경스러워요.

손으로 글씨 쓰기

아름다운 손글씨를 쓰는 능력.
한 글자 한 글자가 손에서 나오는 예술!

MZ - 손글씨의 그 아름다움,
정말 좋아요.

거리 예언자

사람의 행동을 보고 예언하는 능력.
'이런 일이 일어날 거야'라는
예측의 눈썰미!

MZ - 예언하는 그 능력,
　　　정말 신기해요.

기억 속의 트레저 헌터

과거의 소중한 추억을 발굴하는 능력.
'이거 기억나니?' 하는 흥미진진한
이야기들!

MZ – 오래된 사진과 물건들에서
　　　과거의 추억을 찾아내는 그 능력,
　　　정말 놀라워요.

수동 연필깎기

연필을 손으로 깎아 쓰기 좋게
만드는 미적 감각.
쓰기 전의 준비를 즐기는
소소한 취미!

MZ - 연필 깎는 그 손맛,
정말 멋져요.

디지털 없는 외출

디지털 기기 없이도 외출을 즐기는
능력. 지도와 함께하는 진정한 모험!

MZ - 스마트폰 없이 길을 찾고,
계획을 세우는 모습,
정말 부러워요.

93

취향 저격 선물 선택

사람의 취향을 정확히 맞춰 선물을
고르는 능력. '내 스타일이야!'라는
반응 보장!

MZ - 센스 있는 선물 선택,
정말 멋져요.

세상의 지혜 수집가

경험과 지식을 바탕으로
많은 이야기를 간직한
지혜의 저장소!

MZ - 다양한 경험에서 우러나오는
그 깊은 지혜,
정말 존경스러워요.

자작나무 설치의 전문가

자작나무를 잘 고르고 세우는 능력. 이웃들
사이에서 존경받는 나무 전문가!

MZ - 정성스럽게 나무를 다루는 모습,
　　　정말 멋져요.

평화로운 목요일 밤

텔레비전 없이도 편안한 목요일 밤을
보내는 능력. 잔잔한 음악과 책으로
채운 특별한 시긴!

MZ - 텔레비전 없이도 즐길 수 있는
그 여유, 정말 부러워요.

Notes

실제 세계의 블랙 프라이데이 전문가

할인을 얻는 방법에 능숙한 상인. 아침
일찍 일어나 특별한 거래를 받을 수 있다!

MZ - 할인 행사를 공략하는 능력,
정말 대단해요.

수공예의 명인

손으로 만드는 다양한 물건들을
사랑으로 제작.
이목 구조가 되어줄 수 있게
고유성을 보여주는
예술적인 솜씨!

MZ - 손재주가 뛰어난 그 모습,
정말 멋져요.

세대 간 소통의 다리

다양한 세대와 자연스럽게 소통하며

조율하는 능력. 가족 행사에서 없어서는

안 되는 인물!

MZ - 세대 간의 다리를 놓는 그 소통

능력, 정말 존경스러워요.

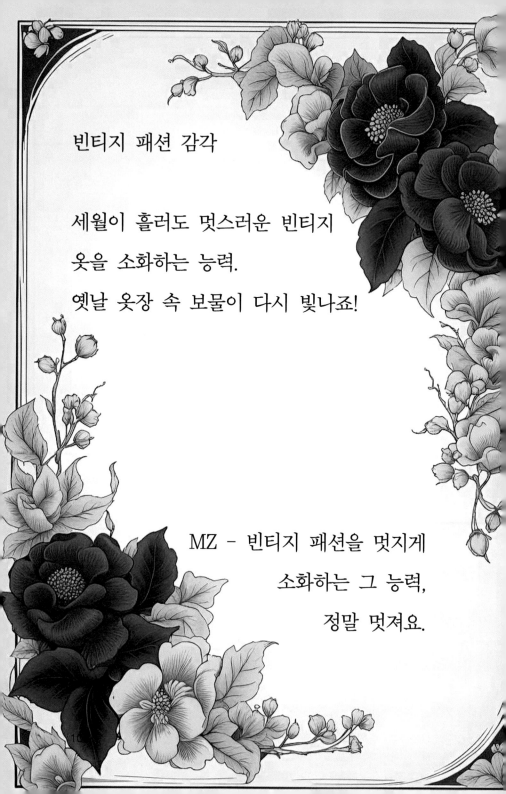

빈티지 패션 감각

세월이 흘러도 멋스러운 빈티지
옷을 소화하는 능력.
옛날 옷장 속 보물이 다시 빛나죠!

MZ - 빈티지 패션을 멋지게
소화하는 그 능력,
정말 멋져요.

라디오 DJ의 감각

라디오를 듣고 음악을 고르는
탁월한 감각. 다양한 장르를 섭렵한
음악 전문가!

MZ-라디오의 그 감성, 정말 좋아요.

공동체의 일원

이웃과의 끈끈한 유대감을 형성하는
능력.
마을 행사에서 중심이 되는 사람!

MZ - 공동체를 위해 헌신하는 그 모습,
정말 존경스러워요.

우체국의 달인

우체국에서 모든 일을
해결하는 능력.
줄 서는 요령부터
빠른 처리까지 완벽!

MZ - 우체국을 효율적으로
이용하는 그 능력, 정말 대단해요.

전통 놀이의 고수

윷놀이, 투호 등 전통 놀이에
능숙한 능력.
명절마다 게임의 중심에 있는 사람!

MZ - 전통 놀이를 즐기는
그 모습, 정말 멋져요.

사진첩의 이야기꾼

오래된 사진첩을 꺼내 과거의 이야기
를 생생하게 전하는 능력. 사진 한 장
마다 스토리가 가득!

MZ -

사진첩 속
추억을
되살리는

그 능력,
정말
좋아요.

Urkunde

핸드메이드의 예술가

손으로 만든 물건에는 특별한 감성이 담
겨 있어요. 특유의 따뜻함을 전달하는 예
술적 솜씨!

MZ – 손으로 만든 물건의 그
따뜻함, 정말 멋져요.

Urkunde

손수건의 마법사

손수건 하나로 수십 가지 용도로 활
용하는 능력!
손수건을 접고 펼치는 기술,
정말 놀라워요.

MZ - 손수건 한 장으로 모든 걸 해
결하는 그 능력, 본받고 싶어요.

123

주말 농장의 달인

주말마다 농장에서 땀 흘리며 수확을
즐기는 모습.

MZ - 자연과 함께하는 시간이 주는
여유로움, 정말 부러워요.
손수 농산물을 재배하는 그 즐거움,
저도 느껴보고 싶어요.

손글씨 예술가

컴퓨터 타이핑이 익숙한 요즘,
아름다운 손글씨로
편지와 노트를 꾸미는 능력.

MZ - 손글씨가 주는 따뜻함,
정말 멋져요.
저도 손글씨 연습 좀 해야겠어요.

스크랩북 마스터

신문, 잡지, 사진 등 다양한 자료를
모아 스크랩북을 만드는 능력.

MZ - 자신의 관심사와 추억을
한 권의 책으로 만들어가는
그 과정, 정말 창의적이에요.

고장난 물건의 응급처치사

물건이 고장 났을 때,
임시방편으로라도 응급처치를 해서
계속 사용하게 만드는 능력.

MZ - 그 기발한 해결책늘,
　　정말 존경스러워요.
　　저는 그런 아이디어가
　　잘 안 떠오르는데 말이죠.

131

손수 농산물 저장 전문가

수확한 농산물을 저장하고

보관하는 방법에 능숙한 사람.

MZ – 김장 담그기부터 말린 과일까지,

손수 저장한 먹거리가 주는

만족감, 정말 대단해요.

사진 필름 복구 전문가

손상된 필름을 복구하고
사진을 되살리는 능력.

MZ - 과거의 추억을 되살리는 그
　　　기술, 정말 신기해요.
　　　저도 그런 기술을 배우고 싶어요.

135

전통 요리 비법 전수자

오랜 세월 동안 전해 내려온 전통 요리
비법을 지닌 사람.

MZ - 그 비법으로
만드는 요리,
정말 맛있어요.
전통 요리의 매력에
빠져들게 해줘서
고마워요.

빈티지 오디오 마스터

오래된 오디오 기기를 관리하고 유지
하는 능력.

MZ - 그 빈티지 사운드,
정말 매력적이에요. 요즘 디지털 사운
드와는 또 다른 맛이 있어요.

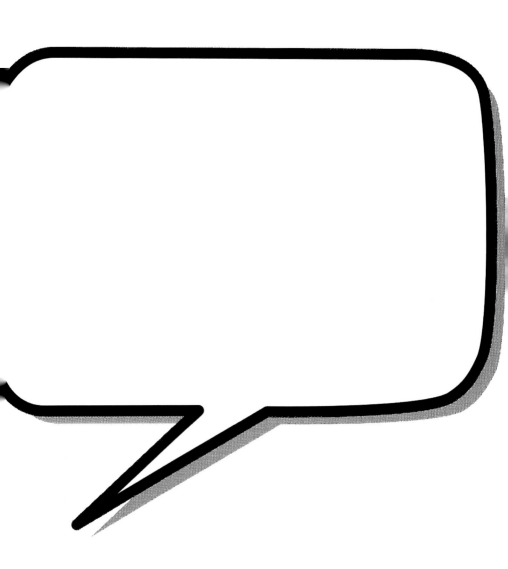

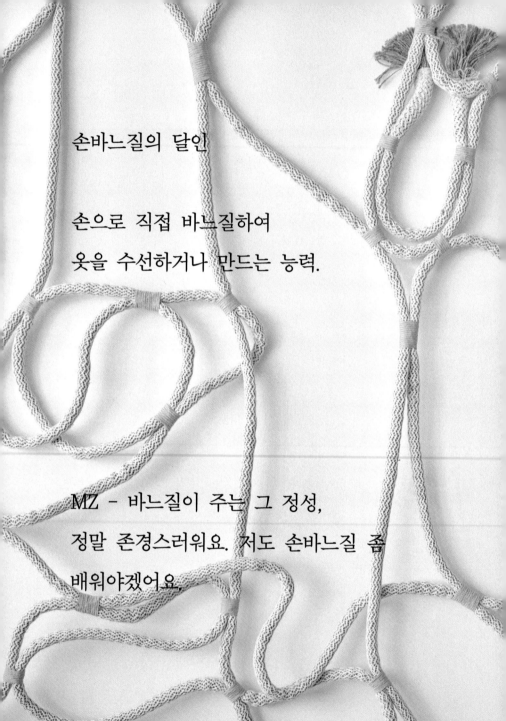

손바느질의 달인

손으로 직접 바느질하여
옷을 수선하거나 만드는 능력.

MZ – 바느질이 주는 그 정성,
정말 존경스러워요. 저도 손바느질 좀
배워야겠어요.

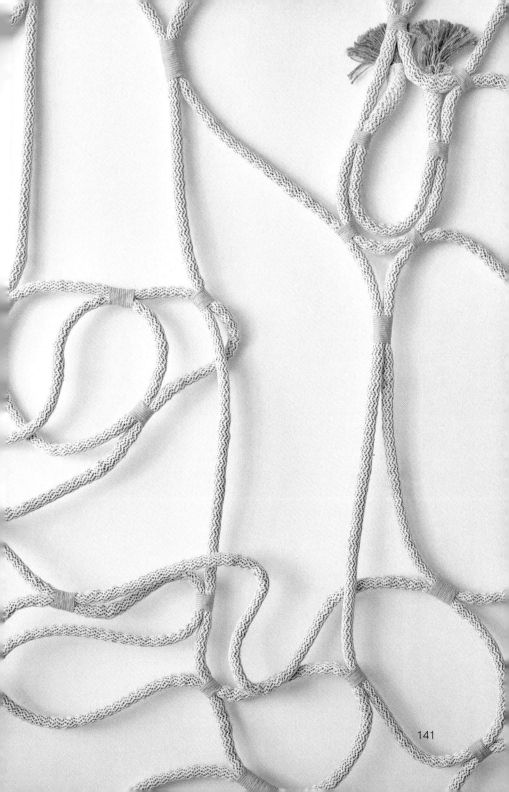

손수 가구 제작자

나무를 다듬고 조립하여 가구를
만드는 능력.

MZ -손으로 만든 가구의 그 따뜻함,
정말 멋져요. 나무 냄새가 주는 힐링,
저도 느껴보고 싶어요.

DIY 가정 수리 전문가

집안 곳곳을 손수 수리하고
보수하는 능력.

MZ - 간단한 전기 공사부터
배관, 수리까지, 정말 만능이에요.
저도 이런 기술 좀 배워야겠어요.

145

손으로 만든 액세서리 장인

손수 액세사리를 만들고
꾸미는 능력.

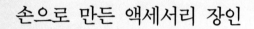

MZ - 개성 넘치는 디자인과
정성이 담긴 작품들,
정말 멋져요.
저도 한번 도전해봐야겠어요.

빈티지 영화 감상 전문가

오래된 흑백영화부터
클래식 영화까지,
빈티지 영화의 매력을 아는 사람.

MZ - 그 시절의 감성을 느끼게
해주는 영화들, 정말 좋아요.

149

손뜨개의 마법사

손으로 뜨개질하여 스웨터,
목도리 등을 만드는 능력.

MZ - 손뜨개가 주는 그 따뜻함,
정말 멋져요.
저도 한번 배워보고 싶어요.

자전거 수리 전문가

자전거를 손수 수리하고 관리하는 능력.

 MZ - 자전거 타는 재미를 더해주는
그 기술, 정말 대단해요. 저도 자전거 수리
좀 배워야겠어요.

153

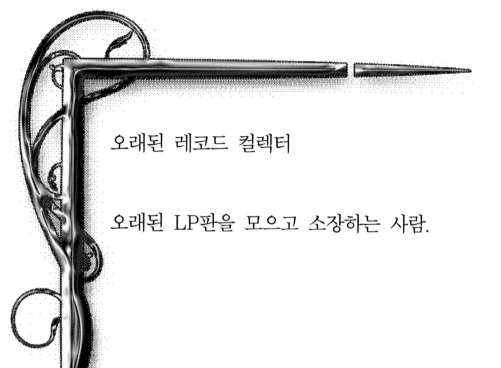

오래된 레코드 컬렉터

오래된 LP판을 모으고 소장하는 사람.

MZ - 그 레코드에서 나오는 아날로그
사운드, 정말 매력적이에요.
음반 가게에서 보물을 찾는 기분이겠어

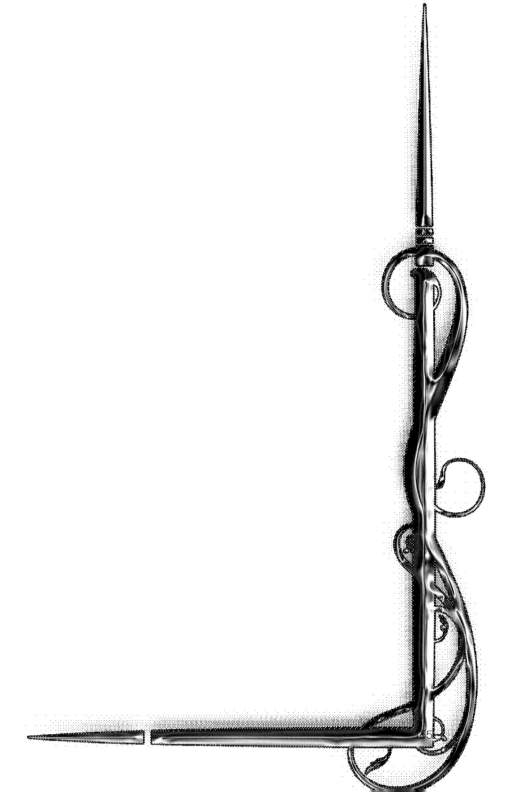

수집광의 보물 창고

우표, 동전, 기념품 등 다양한 물건을
수집하는 능력.

MZ – 각 물건에 담긴 이야기와 역사를
알고 있는 모습, 정말 멋져요. 저도 수집의
재미를 느껴보고 싶어요.

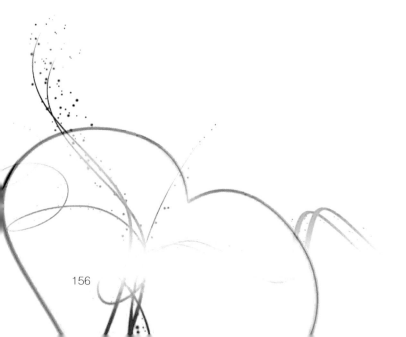

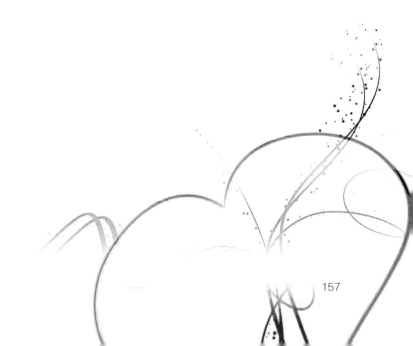

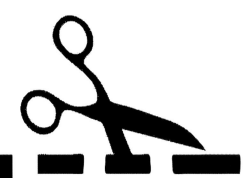

손으로 만든 카페트

손수 카페트를 짜고 만드는 능력.

MZ - 따뜻한 감성과 섬세한 손길로 만들
어진 카페트, 정말 멋져요.
그런 정성과 노력이 담긴 작품을
만들다니 존경스러워요.

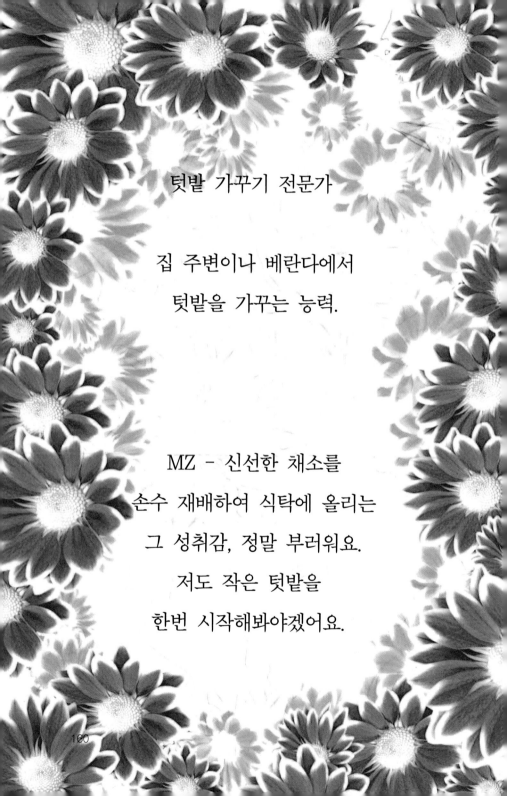

텃밭 가꾸기 전문가

집 주변이나 베란다에서
텃밭을 가꾸는 능력.

MZ - 신선한 채소를
손수 재배하여 식탁에 올리는
그 성취감, 정말 부러워요.
저도 작은 텃밭을
한번 시작해봐야겠어요.

161

수제 비누 제조자

천연 재료로 수제 비누를 만드는 능력.

MZ - 피부에 좋은 재료를 고르고,
정성껏 비누를 만드는 그 과정,
정말 멋져요.
저도 자연 친화적인 비누를 사용해보고
싶어요.

빈티지 시계 수리 전문가

오래된 시계를 고치고
복원하는 능력.

MZ - 정교한 기계 구조를
이해하고 다루는 모습,
정말 대단해요.
빈티지 시계의 매력을 되살리는
그 기술, 정말 존경스러워요.

클래식 악기 연주자

클래식 악기를 다루는 능력.

MZ - 바이올린, 피아노, 첼로 등
다양한 악기를 연주하는 모습,
정말 아름다워요.
클래식 음악의 깊은 감동을 느끼게
해줘서 고마워요.

손수 제작한 향초

천연 재료로 향초를 만드는 능력.

MZ - 다양한 향을 조합해 집안 분위기를

아늑하게 만드는 그 솜씨, 정말 멋져요.

향초가 주는 힐링 효과, 정말 부러워요.

수공예 목공예가

나무를 다루어
다양한 공예품을
만드는 능력.

MZ - 정성껏 깎고 다듬어
만들어진 작품들,
정말 예술적이에요.
저도 목공예에
한번 도전해보고 싶어요.

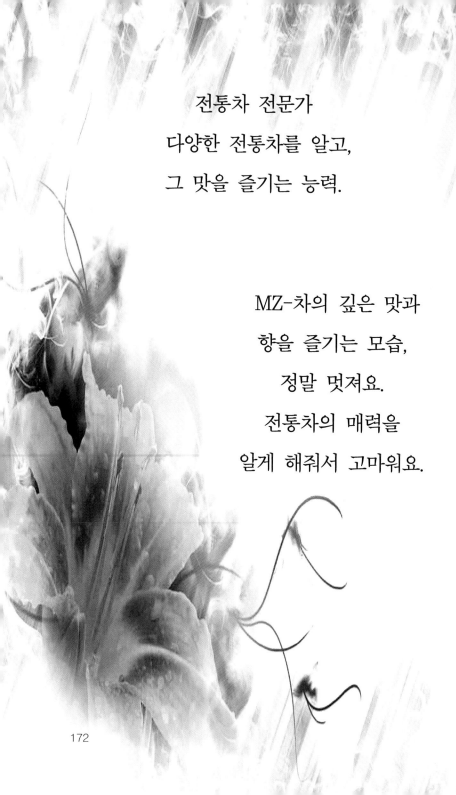

전통차 전문가
다양한 전통차를 알고,
그 맛을 즐기는 능력.

MZ-차의 깊은 맛과
향을 즐기는 모습,
정말 멋져요.
전통차의 매력을
알게 해줘서 고마워요.

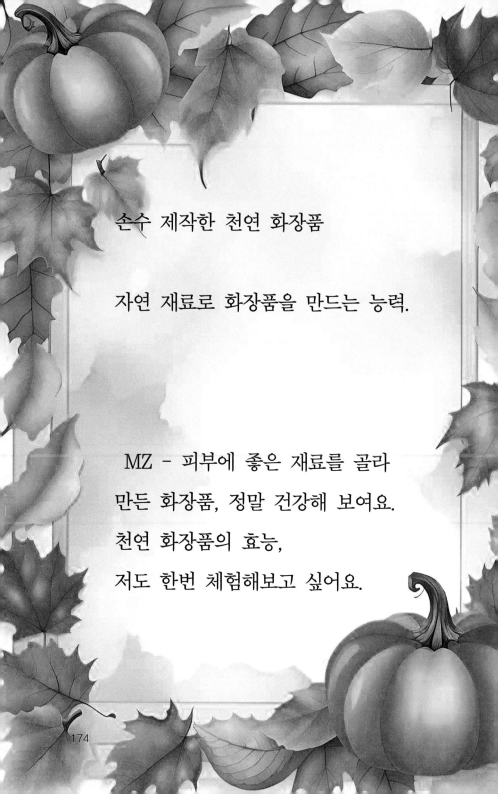

손수 제작한 천연 화장품

자연 재료로 화장품을 만드는 능력.

MZ - 피부에 좋은 재료를 골라
만든 화장품, 정말 건강해 보여요.
천연 화장품의 효능,
저도 한번 체험해보고 싶어요.

175

고전 문학 애호가

고전 문학 작품을 즐겨 읽고 깊이 있는
독서를 하는 능력.

MZ - 책 속에서 얻는 그 지혜와 통찰력,
　　　정말 부러워요.
　　　고전 문학의 매력을 알게 해줘서
　　　고마워요.

정원 가꾸기 마스터

집 안팎의 정원을
아름답게 가꾸는 능력.

MZ – 계절마다 피어나는 꽃들과
푸른 잔디가 주는 그 평화로움,
정말 멋져요.
저도 정원 가꾸기를 배워보고 싶어요.

빈티지 카메라 수집가

오래된 카메라를 수집하고
관리하는 능력.

MZ - 필름 카메라의 그 독특한
　　　매력과 감성을 이해하는 모습,
　　　정말 멋져요. 저도 빈티지
　　　카메라의 세계에
　　　빠져보고 싶어요.

고전 음악 애호가
고전 음악을 즐겨 듣고 감상하는 능력.

MZ - 클래식 음악의 깊은 울림을
이해하고 감상하는 모습, 정말 멋져요.
저도 클래식 음악의 매력을 느껴보고
싶어요.

손으로 만든 도자기

도자기를 직접 빚고 구워 만드는 능력.

MZ - 흙을 다루는 그 섬세한
손길과 정성이 담긴 작품들,
정말 예술적이에요. 저도 도자기
제작에 도전해보고 싶어요.

손뜨개 인형 제작자

손으로 뜨개질하여 인형을 만드는 능력.

MZ - 따뜻한 감성과 정성이 담긴 인형들, 정말 귀여워요. 저도 손뜨개 인형을 만들어보고 싶어요.

고전 영화 애호가

고전 영화를 즐겨 보고 분석하는 능력.

MZ - 흑백 영화의 그 독특한 매력과
감성을 이해하는 모습, 정말 멋져요.
저도 고전 영화의 세계에 빠져보고
싶어요.

손으로 만든 엽서

손수 엽서를 디자인하고 만드는 능력.

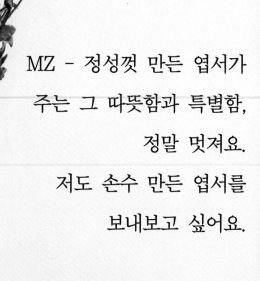

MZ - 정성껏 만든 엽서가
주는 그 따뜻함과 특별함,
정말 멋져요.
저도 손수 만든 엽서를
보내보고 싶어요.

빈티지 바이닐 수집가

오래된 바이닐 레코드를 수집하고
감상하는 능력.

MZ - 아날로그 사운드의 그 깊은
울림과 매력을 이해하는 모습,
정말 멋져요.
저도 바이닐 레코드의 세계에 빠져보고
싶어요.

손으로 만든 가방 제작자

손수 가방을 디자인하고 만드는 능력.

MZ - 정성껏 만든 가방이 주는
그 특별함과 독창성, 정말 멋져요.
서노 손으로 만든
가방을 사용해보고 싶어요.

수제 맥주 브루어

손수 맥주를 양조하는 능력.

MZ - 다양한 맛과 향을 조합하여
만든 수제 맥주, 정말 대단해요.
서도 수제 맥주의 매력을
체험해보고 싶어요.

고전 만화 애호가

고전 만화를 즐겨 보고 수집하는 능력.

MZ - 옛날 만화의 그 독특한 매력과
감성을 이해하는 모습, 정말 멋져요.
저도 고전 만화의 세계에 빠져보고 싶어요.

손으로 만든 모자 제작자

손수 모자를 디자인하고
만드는 능력.

MZ - 정성껏 만든 모자가 주는
그 특별함과 개성, 정말 멋져요.
저도 손으로 만든 모자를 써보고
싶어요.